这是我的书
It's MY BOOK
7级：400字

恰恰和我

作者：程以克（Vicki Cheng）
插图：冰河插画（Bing He Design）

北京语言大学出版社
BEIJING LANGUAGE AND CULTURE UNIVERSITY PRESS

PHOENIX TREE
PHOENIX TREE PUBLISHING INC.

识读 纸盒 流浪 难看 顶 踢 收容 突然 才

句型 从来没有……过

字数 422字

bā suì shēng rì nà tiān yì zǎo qǐ lai wǒ jiù zài

八岁生日那天，一早起来我就在

xiǎng jīn nián huì shōu dào shén me shēng rì lǐ wù ne wǎn

想：今年会收到什么生日礼物呢？晚

shang chàng wán shēng rì kuài lè yǐ hòu mā ma ná chu

上，唱完《生日快乐》以后，妈妈拿出

yí gè hǎo kàn de dà zhǐ hé kuài dǎ kāi kàn kan

一个好看的大纸盒：“快打开看看！”

wā shì zhī xiǎo gǒu tài bàng le wǒ
哇！是只小狗！太棒了！我

yì zhí xiǎng yǎng yì zhī gǒu dàn cóng lái méi yǒu yǎng
一直想养一只狗，但从来没有养

guo kě shì zǐ xì yí kàn wǒ lèng zhù le
过。可是，仔细一看，我愣住了——

zhè zhī xiǎo gǒu de bí zi shang yǒu gè dà bāo hóng
这只小狗的鼻子上有个大包，红

hóng de zài yí kàn zěn me zhǐ yǒu sān tiáo tuǐ
红的。再一看，怎么只有三条腿？

mā ma shuō tā shì dòng wù shōu róng suǒ li de liú
妈妈说：“它是动物收容所里的流

làng gǒu yǐ hòu zhè li jiù shì tā de jiā le
浪狗，以后这里就是它的家了！”

xiǎo gǒu gāo xìng de yáo zhe wěi ba wéi zhe
小狗高兴地摇着尾巴，围着

wǒ zhuàn quān hái qià qià de jiào zhe wǒ xiǎng
我转圈，还“恰恰”地叫着。我想：

gǒu bú shì wāng wāng de jiào ma zhè shí jiě jie
狗不是“汪汪”地叫吗？这时姐姐

shuō tā huì tiào wǔ hái huì qià qià de chàng gē
说：“它会跳舞，还会恰恰地唱歌，

wǒ men jiù jiào tā qià qià ba
我们就叫它恰恰吧！”

tóng xué men tīng shuō wǒ yǎng le yì zhī gǒu dōu wèi
同学们听说我养了一只狗，都为
wǒ gǎn dào gāo xìng kě shì měi cì dài qià qià chū mén
我感到高兴。可是，每次带恰恰出门，
yí jiàn dào tóng xué wǒ jiù huì mǎ shàng duǒ qi lai
一见到同学，我就会马上躲起来。
qià qià hěn bù gāo xìng wǒ gèng bù gāo xìng nǐ zhè
恰恰很不高兴，我更不高兴：“你这
me nán kàn wǒ cái bù xiǎng ràng tóng xué kàn dào ne
么难看，我才不想让同学看到呢！”

yì tiān wǒ hé qià qià zài wài miàn zǒu zhe
一天，我和恰恰在外面走着，
tū rán yí gè qiú cóng wǒ tóu shang fēi guò bù hǎo
突然一个球从我头上飞过。不好！
qiú jiù yào zá dào lù biān de xiǎo péng yǒu le zhǐ jiàn
球就要砸到路边的小朋友了。只见
qià qià fēi bēn guo qu yòng lì yí tiào yòng tóu bǎ
恰恰飞奔过去，用力一跳，用头把
qiú dǐng dào le páng biān nà xiē tī qiú de nán shēng
球顶到了旁边。那些踢球的男生
dōu kuā qià qià tài xiàng zú qiú míng xīng le
都夸恰恰：“太像足球明星了！”

dì èr tiān yí dào xué xiào tóng xué men jiù bǎ
第二天一到学校，同学们就把
wǒ wéi zhù le dà jiā qī zuǐ bā shé de shuō tīng
我围住了。大家七嘴八舌地说：“听
shuō nǐ de xiǎo gǒu zhǐ yǒu sān tiáo tuǐ tīng shuō
说你的小狗只有三条腿。”“听说
tā hái huì tī zú qiú nǐ de xiǎo gǒu jiào shén
它还会踢足球！”“你的小狗叫什
me míng zi tā tài bàng le
么名字？它太棒了！”

huí dào jiā wǒ dì yī cì qīn qiè de bào zhù
回到家，我第一次亲切地抱住
le qià qià qīng qīng duì tā shuō duì bu qǐ
了恰恰，轻轻对它说：“对不起。”
qià qià mī qi yǎn jing jiào zhe qià qià qià qià
恰恰眯起眼睛叫着：“恰恰！恰恰！”

1 八岁生日那天，一早起来我就在想：今年会收到什么生日礼物呢？晚上，唱完《生日快乐》以后，妈妈拿出一个好看的大纸盒："快打开看看！"

2 哇！是只小狗！太棒了！我一直想养一只狗，但从来没有养过。可是，仔细一看，我愣住了——这只小狗的鼻子上有个大包，红红的。再一看，怎么只有三条腿？妈妈说："它是动物收容所里的流浪狗，以后这里就是它的家了！"

3 小狗高兴地摇着尾巴，围着我转圈，还"恰恰"地叫着。我想：狗不是"汪汪"地叫吗？这时姐姐说："它会跳舞，还会恰恰地唱歌，我们就叫它恰恰吧！"

4 同学们听说我养了一只狗，都为我感到高兴。可是，每次带恰恰出门，一见到同学，我就会马上躲起来。恰恰很不高兴，我更不高兴："你这么难看，我才不想让同学看到呢！"

5 一天，我和恰恰在外面走着，突然一个球从我头上飞过。不好！球就要砸到路边的小朋友了。只见恰恰飞奔过去，用力一跳，用头把球顶到了旁边。那些踢球的男生都夸恰恰："太像足球明星了！"

6 第二天一到学校，同学们就把我围住了。大家七嘴八舌地说："听说你的小狗只有三条腿。""听说它还会踢足球！""你的小狗叫什么名字？它太棒了！"

7 回到家，我第一次亲切地抱住了恰恰，轻轻对它说："对不起。"恰恰眯起眼睛叫着："恰恰！恰恰！"

1
2
3
4
5
6
7
看图讲故事